Questo libro appartiene a:

....

Indice

EMME EDIZIONI

Traduzione di Giuditta Campello

Titolo originale: *5 Minute Tales - Farm Stories*
Prima pubblicazione 2016, Igloo Books Ltd, Cottage Farm, Sywell
© 2016 Igloo Books Ltd
Illustrazioni di Maxine Lee
Testi di Melanie Joyce
Grafica di Justine Ablett
Tutti i diritti sono riservati
© 2017 Edizioni EL, San Dorligo della Valle (Trieste), per l'edizione italiana
ISBN 978-88-6714-605-5
www.edizioniel.com
Stampato in Cina

Storie
della
Fattoria

EMME EDIZIONI

Chicchirichí-Oink!

Il gallo sveglia tutti gli animali e poi li riunisce in cortile.

chicchirichí!

Animali, dobbiamo
prepararci per la festa
di domani!

dice il gallo.

Tutti gli animali si **lavano**, si **spazzolano**, si **pettinano**.
Tranne Papera, Porcellino e Vitello, che giocano a rincorrersi.

4

"Oink-oink", fa Porcellino, e **inciampa** e **scivola**.
Poi **schizza** di fango il cane e **ruzzola** addosso a Vitello
che **colpisce** Papera che **urta** il secchio e lo rovescia.

Chicchirichí!

Voi tre, cercate di non combinare piú disastri, altrimenti niente festa!

strilla il gallo.

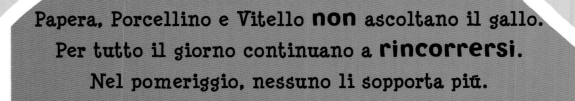

Papera, Porcellino e Vitello **non** ascoltano il gallo.
Per tutto il giorno continuano a **rincorrersi**.
Nel pomeriggio, nessuno li sopporta più.

Basta, **finitela subito!**

grida il gallo, mentre Porcellino **rovescia**
un contenitore di latte che si **incastra** sulla
zampa della mucca.

La mucca **muggisce** e **spaventa**
l'anatra...

6

... che **sbatte** le ali e **spaventa** i topi...
... che **squittiscono** e **spaventano** il cavallo...

... che **nitrisce** e **spaventa** il maiale...
... che **grugnisce** e **spaventa** il gatto.

Che terribile confusione alla fattoria...

CHICCHIRICHÍÍÍ!

grida il gallo a **piú** non posso.

7

Voi tre, filate subito a letto!

sbraita il gallo con il petto piú gonfio che mai.

Stavolta i tre amici l'hanno combinata **grossa**.

Mogi mogi se ne vanno a nanna.

Ecco, domani non potremo andare alla festa...

dice Vitello.

Ma Vitello ha un'idea:

Sentite qual è il piano: domani mattina ci svegliamo presto, anzi prestissimo e iniziamo subito a comportarci bene, anzi benissimo. Così magari il gallo ci perdonerà e ci lascerà andare alla festa.

Porcellino e Papera sono d'accordo.

Il giorno dopo, quando il sole sorge,
Papera, Porcellino e Vitello si svegliano.
Ma perché tutti gli altri dormono ancora?

Il gallo non ha cantato!

dice Papera.

Il gallo zampetta nel cortile, col becco spalancato come per cantare, ma dalla sua gola non esce **nemmeno un verso**.

Ha perso la voce!

dice Porcellino.

Deve aver gridato troppo ieri!

dice Vitello.

Ragazzi, tocca a noi svegliare tutti! Pronti? Uno, due e tre...

dice Papera.

QUA-QUA-OINK-OINK-MUU!

Ed ecco che tutti gli animali,
uno dopo l'altro, si svegliano.
Appena in tempo per
preparare la festa.

Ottimo lavoro,
ragazzi. Direi che
dopotutto potete
venire alla festa!

dice il gallo con
un filo di voce.

E che festa! La festa più **bella** di tutte! Soprattutto per Papera, Porcellino e Vitello, che per questa volta possono fare tutto il **rumore** e la confusione che **vogliono!**

QUA-QUA-OINK-OINK-MUU!

L'avventura di Piccolo Pollo

Un giorno Piccolo Pollo e Mamma Gallina vanno a trovare il signor Cavallo, che abita nel prato vicino al bosco.

Come vorrei andare nel bosco!

dice Piccolo Pollo.

Oh no, il bosco è spaventoso!

avverte il signor Cavallo.

E pieno di pericoli! Non andarci, capito?

raccomanda Mamma Gallina.

A sentire queste cose, Piccolo Pollo diventa ancora più **curioso**.

Dopo pranzo, Mamma Gallina si **accoccola** sulla paglia.
Piccolo Pollo se ne sta buono buono finché Mamma Gallina
chiude gli occhi e si addormenta.

Allora Piccolo Pollo fa un passetto. E poi un altro.
E un altro ancora. E passetto dopo passetto...

Capita nel bosco! Ma che meraviglia questo bosco.
Ci sono **fiori** e ruscelli, **funghi** e farfalle.

E conigli che saltellano...

... e scoiattoli che giocano a nascondino.

Non fa **paura!** Che bello! Che paradiso!

Piccolo Pollo gioca con i conigli e con gli scoiattoli, finché per loro arriva l'ora di ritornare nelle tane.

Arrivederci!

saluta Piccolo Pollo.

È stato bello giocare con te!

dicono gli animali.

Di colpo Piccolo Pollo si sente stanco, così si accoccola sotto una foglia e si addormenta.

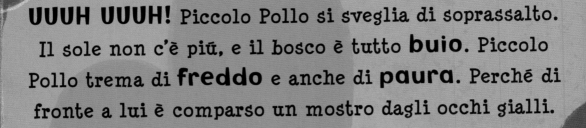

UUUH UUUH! Piccolo Pollo si sveglia di soprassalto. Il sole non c'è più, e il bosco è tutto **buio**. Piccolo Pollo trema di **freddo** e anche di **paura**. Perché di fronte a lui è comparso un mostro dagli occhi gialli.

UUUH UUUH! fa il mostro.

Ti sei perso? domanda.

"S-sì", balbetta Piccolo Pollo pieno di spavento.

Non aver paura!
Vieni con me!

ulula il mostro
con gli occhi
minacciosi.

Perché invece non
vieni con me?

dice un'altra voce.

È la voce di un altro mostro, ancora più grosso del primo, coperto di pelo rossiccio, con i denti **appuntiti** e **affilati**.

I due si avvicinano. Piccolo Pollo si copre gli occhi.

> Questi mi mangiano in un boccone! Mamma, dove sei? Perché non sono rimasto con te?

pensa Piccolo Pollo.

In quel momento si sente un rumore di zoccoli al galoppo: **clopete clopete!**

Dal bosco sbuca Mamma Gallina in groppa al signor Cavallo.
"Se non vi dispiace, Piccolo Pollo viene via con noi! Vi saluto!"
dice il signor Cavallo.

Così finisce che i due mostri (che in realtà sono
una civetta e una volpe) rimangono a bocca asciutta.
E Piccolo Pollo, sano e salvo, riceve dalla mamma
un abbraccio forte forte e una bella sgridata!

Le capre investigatrici

Gnam, gnam, gnam! Milù e Mariù sono due capre che si stanno pappando le rose del signor Bernardo.

Mmm, queste sono assolutamente deliziose!

dice Milù.

Prova quelle rosse, sono addirittura squisite!

dice Mariù.

Ma ecco che arriva il signor Bernardo, talmente **furioso** che la sua faccia è più rossa di un pomodoro e quasi viola come una **barbabietola.**

Vi siete mangiate le mie rose, eh? Molto bene, da oggi starete a dieta anche voi, e vi assicuro che non è per niente divertente!

esclama il signor Bernardo, che è stato messo a dieta da sua moglie...

23

In effetti stare a dieta non è per niente divertente. Solo carote e lattuga, lattuga e carote. E nient'altro. Che fame!

Dopo qualche giorno, le pance di Milù e Mariù **brontolano** e **gorgogliano** così forte che le due capre quasi non si accorgono del **caos** scoppiato nel pollaio.

Quella notte, Milū e Mariū si nascondono vicino al pollaio.

Guarda, c'è qualcuno!

sussurra Mariū.

Un'ombra silenziosa scivola furtiva nel pollaio, arraffa le uova, le mette in un sacco e poi se ne va.

Milŭ e Mariŭ, in **punta** di piedi, seguono le **impronte** del ladro misterioso.

Non facciamoci sentire!

bisbiglia Mariŭ.

Le impronte portano
dritte alla casa del fattore.
Ecco il covo del ladro di uova!
Zitte zitte, le due capre
aprono la porta.
E chi trovano?

27

Il signor Bernardo!

Avevo fame, volevo solo una frittata. Non ne posso piú di lattuga e carote!

confessa.

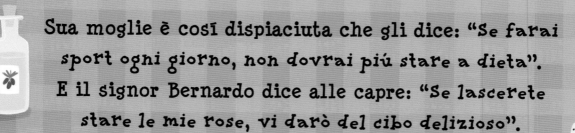

Sua moglie è cosí dispiaciuta che gli dice: "Se farai sport ogni giorno, non dovrai piú stare a dieta". E il signor Bernardo dice alle capre: "Se lascerete stare le mie rose, vi darò del cibo delizioso".

Finisce che tutti sono **contenti**: il signor Bernardo perché non è più a dieta, sua moglie perché il signor Bernardo fa sport ogni giorno, le galline perché nessuno ruba più le loro uova...

... e le capre perché possono mangiare i **dolci**!

Gli asini non sanno farlo

C'è gran fermento alla fattoria. Stamattina un invito speciale è arrivato per posta.

In città sabato ci sarà la gara di abilità. Tutti gli animali sono invitati a partecipare!

annuncia l'oca.

Tutti gli animali, entusiasti, **applaudono**, **commentano**, **chiacchierano** e poi corrono ad allenarsi.

La **notizia** giunge alle orecchie dell'asino, che va nel porcile dove i maiali si stanno allenando ai tuffi acrobatici.

OINK! GRUNF!
Saltano, piroettano e **SPLASH**, giù nella pozza di fango.

Posso farlo anch'io?

domanda l'asino.

Ma gli asini non sanno tuffarsi!

rispondono i maiali.

Allora l'asino va dalle mucche.
MUU, MUU! Eccole che girano, **volteggiano**
e saltellano come vere **ballerine**, indossando il tutù.

Posso farlo anch'io?

domanda
l'asino.

Ma gli asini non
sanno danzare!

rispondono le
mucche.

Allora l'asino va a trovare le pecore.

BEE, BEE! Eccole che camminano sprezzanti del pericolo sul filo sospeso.

Siete bravissime! Posso provarci anch'io?

domanda l'asino.

Le pecore, **sbalordite**, perdono l'equilibrio e **cadono** nel laghetto.

Ma gli asini non sanno fare cose spericolate!

rispondono.

33

Sui gradini della fattoria, l'oca
si allena a ballare il tip tap.

QUA! QUA!

Ma l'asino non le chiede nulla.
"Tutti dicono che noi asini non
sappiamo fare niente", pensa,
"ma non è vero, e io lo
dimostrerò!"
Poi va nel granaio e chiude
a chiave la porta.

Cosa farà lì dentro? All'improvviso dal granaio escono rumori preoccupanti. **Tonfi** e **colpi**, **sibili** e **botti**. È davvero strano.

SPLASH! **AHIA!** **SBAM!**

SWISH! **OUCH!** **PATAPAM!**

Ma cosa fa quel tontolone?

Non vorrà mica partecipare alla gara di domani?

dicono gli animali ridacchiando.

Il giorno della gara, gli animali eseguono il loro numero.
Alla fine, quando tutti si sono esibiti, il presentatore
annuncia a sorpresa: "Signore e signori, ecco a voi... l'asino!"
L'asino sale sul palco e...

... imita alla perfezione tutti gli animali della fattoria!

I maiali... **HII-OINK!**

Le mucche... **HII-MUU!**

Le pecore... **HII-BEE!**

E anche l'oca... **HII-QUA!**

E chi vince la gara? L'asino naturalmente, che sa tuffarsi, danzare, camminare sul filo e anche ballare il tip tap!

La grande fuga

Nella bella fattoria della signora Clara tutti gli animali
se la passano bene, tutti gli animali sono contenti.
Tutti tranne tre. Alfio il cavallo è stufo della sua stalla
rossa. Rita la mucca è stanca della sua stalla blu. E Lulù
la pecora è davvero annoiata dal suo recinto. Insomma
tutti e tre non ne possono più di vivere in fattoria.

Abbiamo bisogno di cambiare. Abbiamo bisogno di avventura!

dice Alfio.

Lulù e Rita sono d'accordo con lui.

Il giorno dopo
c'è una bella **novità**.
Un circo monta il suo tendone
proprio dietro la fattoria.

Andremo al circo!
Questa è la nostra
occasione!

nitrisce
Alfio.

Ed è proprio quello che fanno.
Mentre la signora Clara è
impegnata a piantare fiori, i tre
amici, in punta di zampe, si
allontanano dalla fattoria.

Lulù vorrebbe fare la trapezista, Alfio vorrebbe essere un cavallo da parata e Rita vorrebbe fare l'acrobata.

Dopotutto non sarà difficile! Tutti e tre sono assolutamente convinti che si tratti solo di **penzolare** da un'altalena, **trotterellare** in tondo e **saltellare** sul tappeto elastico. Ma sarà davvero così semplice?

DRIIIN! Il giorno dopo,
la sveglia suona all'alba.

È ora di allenarsi!

sbraita il direttore.

Ad Alfio tocca trottare in tondo finché la testa gli gira
come una **trottola**. Rita salta di qua e di là finché perde
l'equilibrio e **cade** giù dal tappeto, e Lulù, lì in alto, soffre
di **vertigini**. Ma gli allenamenti continuano per tutto
il giorno, e per tutti gli altri giorni della settimana.

43

Cercate di non combinare guai, voi tre! Stasera voglio che lo spettacolo sia perfetto!

dice il direttore.

Mi manca la signora Clara...

dice Alfio.

Anche a me...

dice Rita.

A me di più!

aggiunge Lulù.

Dopotutto la vita al circo **non** è così **bella**.

La sera dello spettacolo tutto sembra andare bene.
Alfio trotta in tondo, Rita salta e rimbalza e Lulú vola.
Il pubblico applaude entusiasta e fa **OOOOOH!**
Ma a un certo punto Lulú, da lá in alto, guarda giú e vede
la signora Clara seduta tra gli spettatori.

Allora Lulù si emoziona così tanto che perde la presa e dopo due o tre piroette nell'aria...

Boing! Finisce dritta sul tappeto di Rita.

Riboing! Rita rimbalza in aria e...

Sbam! Atterra proprio sulla groppa di Alfio, che per lo spavento si mette a **galoppare** a più non posso. Il pubblico si diverte da matti, il direttore invece no.

Voi tre, andate via dal mio circo e non tornate mai più, capito?

grida.

I tre amici non se lo fanno ripetere due volte e tornano difilato nella loro cara, dolce fattoria, dalla cara, dolce signora Clara, che li accoglie con affetto.

Bentornati a casa!

dice la signora Clara.

Com'è bella la vita nella fattoria!